dtv

Mascha Kaléko schrieb »Gebrauchslyrik« – Gedichte, die man zum Leben braucht. Sie teilt diese Zuordnung mit Erich Kästner, Joachim Ringelnatz und Kurt Tucholsky, ging aber stets ihren eigenen Weg. Mit ihrem unverwechselbaren Ton zählt sie zu den prominentesten Dichterinnen des 20. Jahrhunderts. »Ich werde still sein; doch mein Lied geht weiter«, schrieb sie prophetisch in einem Vers – und sie hat recht behalten.
Dieser Geschenkband mit einhundert Gedichten versammelt eine repräsentative Auswahl ihrer Werke, zusammengestellt von Gisela Zoch-Westphal, der Mascha Kaléko ihr literarisches Erbe anvertraute.

Mascha Kaléko, am 7. Juni 1907 als Tochter jüdischer Eltern in Galizien geboren, fand in den zwanziger Jahren Anschluß an die literarische Szene in Berlin und hatte 1933 mit dem ›Lyrischen Stenogrammheft‹ ihren ersten großen Erfolg. 1938 emigrierte sie in die USA, 1959 siedelte sie von dort nach Israel über. Sie starb am 21. Januar 1975 nach einem längeren Krankenhausaufenthalt in Zürich.
Weitere Informationen unter: www.maschakaleko.com

Gisela Zoch-Westphal hat bei <u>dtv</u> zwei weitere Gedichtbände von Mascha Kaléko herausgegeben.

Mascha Kaléko

Mein Lied geht weiter

Hundert Gedichte

Ausgewählt und herausgegeben von
Gisela Zoch-Westphal

Deutscher Taschenbuch Verlag

Von Mascha Kaléko
sind im Deutschen Taschenbuch Verlag erschienen:
In meinen Träumen läutet es Sturm (1294)
Die paar leuchtenden Jahre (13149)
Sei klug und halte dich an Wunder (14256)
Sämtliche Werke und Briefe in vier Bänden (59086 und 59087)

Ausführliche Informationen über
unsere Autoren und Bücher
finden Sie auf unserer Website
www.dtv.de

Originalausgabe 2007
15. Auflage 2014
Deutscher Taschenbuch Verlag GmbH & Co. KG,
München
© Deutscher Taschenbuch Verlag, München
Umschlagkonzept: Balk & Brumshagen
Umschlagbild: Corbis/Collier Campbell Lifeworks
Gesetzt aus der Monotype Garamond
Gesamtherstellung: Druckerei C. H. Beck, Nördlingen
Gedruckt auf säurefreiem, chlorfrei gebleichtem Papier
Printed in Germany · ISBN 978-3-423-13563-4

Inhalt

Zur Heimat erkor ich mir die Liebe

Die frühen Jahre

Ausgesetzt
In einer Barke von Nacht
Trieb ich
Und trieb an ein Ufer.
An Wolken lehnte ich gegen den Regen.
An Sandhügel gegen den wütenden Wind.
Auf nichts war Verlaß.
Nur auf Wunder.
Ich aß die grünenden Früchte der Sehnsucht,
Trank von dem Wasser das dürsten macht.
Ein Fremdling, stumm vor unerschlossenen Zonen,
Fror ich mich durch die finsteren Jahre.
Zur Heimat erkor ich mir die Liebe.

Notizen

Meine Kindheit weht zu mir herüber
Fernes Glockengeläut aus dem Nebel.

Dort ist immer November
Sehnsucht, Halsweh und Angst.

Im Keller hausen Gespenster
Der Kinderverzehrer im Dach.

Die Wände der guten Stube
Mit plüschrotem Nein tapeziert

Fernes Glockengeläut durch den Frost
Dunkel und Flüstern und Fliehen
Und atmen daß keiner dich hört

Und immer fremdere Nachbarn
Und andere Dialekte

Die alte Wobinichdennangst
Das feindliche Bett im Nirgendwo
Fremder Seifengeruch auf dem Kissen

So viele Brücken hinter dir verbrannt
Aus ihrer Asche immer wieder die falsche, die neue
Phönix-Heimat. Ich kann ja schreien. Gott sei Dank.

Fragnichtsoviel
Die Fenster zu. Die Rolläden bleiben herunter.
Wer an der Tür läutet, der Postbote kann's nicht sein.
Kinder werden gesehen nicht gehört
Weinen ist lebensgefährlich

Meine Kindheit ein fernes Geläute
Heimweh und juckende Socken
Geküßt wurde nur auf dem Bahnhof.

Der See war zum Ertrinken da, im Sommer
Im Winter: zum Beinebrechen.
Der Himbeerstrauch rief Verboten.

Wie waren die Großen so groß
Das Tor nur auf Zehen zu öffnen
Draußen sang schmetternd die Magd
Ein Vogel pfiff in der Laube
Der Himmel frischgewaschen und weit
Eine Blausilbermurmel aus Glas
Draußen war Freiheit war Liebe.

Vielleicht

Auto(r)biografisches

Ich war ein kluges Embryo,
Ich wollte nicht auf die Welt.

Nach zehn Monaten erst und
Vollen zehn Tagen
Erbarmte ich mich der jammernden Mutter
Und suchte den Weg ins Unfreie.

Nicht weniger als hundertachtzig Stunden
– So hat's die Großmutter seufzend berichtet –
Stand unser Haus im Zeichen des Todes.

Ich habe mich später manchmal gefragt,
Wie Freud aus Wien das wohl beurteilt hätte
Oder Professor Jung an der Limmat.

Genug, an einem Junimorgen,
Im Monat der Rosen, im Zeichen der »Zwillinge«,
Bei Glockengeläut um fünf Uhr früh
Gab ich zögernd den Widerstand auf
Und verließ mein provisorisches Domizil.

Ein Fremdling bin ich damals schon gewesen,
Ein Vaterkind, der Ferne zugetan,
Den Zugvögeln und den Sternen.

Auf einem Kinderbildnis
Reiße ich mich wild mit weitgereckten Schwingen
Aus den Armen der Amme.

Früh schon gefiel mir das Anderswo.
Mit knapp fünf Jahren lief ich endlich fort.
Man hat mich aber immer eingefangen.
Leider.

Nein, es hat mir gleich nicht gefallen
Hier unten.

Enfant terrible

Ich
Habe eine
Ich habe eine Puppe
Gestohlen.
Die ich mir wünschte
Bekam ich nie.
Drei Geburtstage lang
Und dann die mit Tintenaugen
Und Haaren aus Zelluloid.
Beinah ist oft schlimmer als Nein.
Nun habe ich eine.
(Gestohlen.)

Bericht aus einer Kindheit

Weil er die Geige spielte wie ein Engel,
Vorausgesetzt, daß Engel Geige spielen,
Gehörte ihm mein halb erwachtes Herz
Mit seinen höchst verwirrenden Gefühlen.

Vom Reich der Kindheit offiziell verbannt,
Das Tor zur Welt der Großen noch versperrt,
So schwebte ich in meinem Niemandsland
Und lebte für ein Violinkonzert.

Da saß ich denn in der Philharmonie
Und schämte mich der dummen fünfzehn Jahre.
Das Schottenröckchen reichte kaum ans Knie,
Und auf dem Podium stand der Wunderbare

Und musizierte sich stracks in mein Leben,
Trug seinen Namen in mein Schicksal ein.
Mama in schwarzem Taft saß dicht daneben
Und ahnte nichts. Und ich war so allein.

So einsam war die Welt in jenem Herbst.
Die Ahornbäume sandten ihren herben
Oktoberduft zum Abschied in den Park.
Ich lernte damals unauffällig sterben.

Vor dem Spiegel

Wo blieb das kleine Mädchen mit den Zöpfen …
Dem blauen Schulkleid mit den Perlmuttknöpfen,
– Auf Zehenspitzen seine stumpfe Nase
Noch stumpfer pressend an dem Spiegelglase,
Um, wie's der alten Köchin einst geschehen,
Das ferne Bild der Zukunft drin zu sehen …
Oh, Spieglein, Spieglein an der Wand,
Wohin hast du das Kind verbannt?

Die Zukunft suchte ich in vielen Spiegeln;
Doch blieb sie mir ein Buch mit sieben Siegeln.
Nun reck ich mich im Spiegel dieser Zeit
Und such darin nach der Vergangenheit.
Er aber zeigt mir unverwandt und hart
Das fremde Antlitz dieser Gegenwart,
Verweigernd mir mein eigenstes Gesicht.
– Doch davon sprach die alte Köchin nicht.

Stilles Gebet

Ich dank dir Herr
In jeder stillen Stund
Ist auch mein Mund
Scheu und verschwiegen.
Ich stehe hier
An meines Kindes Wiegen
Und ohne Wort
Dankt es in mir.

Berlin, Februar 1938

An mein Kind

Dir will ich meines Liebsten Augen geben
Und seiner Seele flammenreines Glühn.
Ein Träumer wirst du sein und dennoch kühn,
Verschloßne Tore aus den Angeln heben.

Wirst ausziehn, das gelobte Glück zu schmieden.
Dein Weg sei frei. Denn aller Weisheit Schluß
Bleibt doch zuletzt, daß jedermann hienieden
All seine Fehler selbst begehen muß.

Ich kann vor keinem Abgrund dich bewahren,
Hoch in die Wolken hängte Gott den Kranz.
Nur eines nimm von dem, was ich erfahren:
Wer du auch seist, nur eines – sei es ganz!

Du bist, vergiß es nicht, von jenem Baume,
Der ewig zweigte und nie Wurzel schlug.
Der Freiheit Fackel leuchtet uns im Traume –
Bewahr den Tropfen Öl im alten Krug!

Der Mann im Mond

Der Mann im Mond hängt bunte Träume,
Die seine Mondfrau spinnt aus Licht,
Allnächtlich in die Abendbäume,
Mit einem Lächeln im Gesicht.

Da gibt es gelbe, rote, grüne
Und Träume ganz in Himmelblau.
Mit Gold durchwirkte, zarte, kühne,
Für Bub und Mädel, Mann und Frau.

Auch Träume, die auf Reisen führen
In Fernen, abenteuerlich.
– Da hängen sie an Silberschnüren!
Und einer davon ist für dich.

Der Sternanzünder

Geht die Abendsonne schlafen,
Kommt der Sternanzündemann.
Und der steckt die vielen Sterne
Hoch am dunkeln Himmel an.
Einer nach dem andern flammt
Silberhell auf blauem Samt.
Und inmitten all der Sterne
Knipst er an die Mondlaterne.

Horch, die Abendglocken läuten!
Tagwind spricht zum Abendwind:
Freund, das Stündlein hat geschlagen,
Da *dein* Abenddienst beginnt.
Lebe wohl, ich kann nun gehn.
Fange du jetzt an zu wehn!
Und der Sternanzündemann
Zieht daheim den Schlafrock an.

Wie sag ich's meinem Kinde?

Jüngst sah mein kleiner Sohn
Den ersten Totenwagen.
– Er gab nicht einen Ton
Und stellte keine Fragen.

Doch dann, nach ein paar Tagen,
Begann er zögernd-leis.
– Was konnte ich schon sagen,
Wo man doch selbst nichts weiß.

Das Schulrezept: Botanik,
»Vom Werden und Verderben«,
Erzielte nichts als Panik:
»Mama, auch du kannst sterben?!«

Es war nicht pädagogisch,
Vom Fortbestand der Seelen,
Und viel zu theologisch,
Vom Himmel zu erzählen.

Doch mangels akkuraten
Berichts aus jenen Sphären,
Erschien es mir geraten,
Zu trösten statt zu lehren.

Im Kreis der »Aufgeklärten«
Bin ich darob verfemt.
– Verzeiht, ihr Herrn Gelehrten,
Wenn mich das nicht sehr grämt.

Die Bücherweisheit ist bankrott,
Der Blinde führt den Blinden.
– Und wahrlich, gäb es keinen Gott,
Man müßte ihn erfinden.

An meinen Schutzengel

Den Namen weiß ich nicht. Doch du bist einer
Der Engel aus dem himmlischen Quartett,
Das einstmals, als ich kleiner war und reiner,
Allnächtlich Wache hielt an meinem Bett.

Wie du auch heißt – seit vielen Jahren schon
Hältst du die Schwingen über mich gebreitet
Und hast, der Toren guter Schutzpatron,
Durch Wasser und durch Feuer mich geleitet.

Du halfst dem Taugenichts, als er zu spät
Das Einmaleins der Lebensschule lernte.
Und meine Saat, mit Bangen ausgesät,
Ging auf und wurde unverhofft zur Ernte.

Seit langem bin ich tief in deiner Schuld.
Verzeih mir noch die eine – letzte – Bitte:
Erstrecke deine himmlische Geduld
Auch auf mein Kind und lenke seine Schritte.

Er ist mein Sohn. Das heißt: er ist gefährdet.
Sei um ihn tags, behüte seinen Schlaf.
Und füg es, daß mein liebes schwarzes Schaf
Sich dann und wann ein wenig weiß gebärdet.

Gib du dem kleinen Träumer das Geleit.
Hilf ihm vor Gott und vor der Welt bestehen.
Und bleibt dir dann noch etwa freie Zeit,
Magst du bei mir auch nach dem Rechten sehen.

Letztes Lied

Ich werde fortgehn, Kind. Doch du sollst leben
Und heiter sein. In meinem jungen Herzen
Brannte das goldne Licht. Das hab ich dir gegeben,
Und nun verlöschen meine Abendkerzen.

Das Fest ist aus, der Geigenton verklungen,
Gesprochen ist das allerletzte Wort.
Bald schweigt auch sie, die dieses Lied gesungen.
Sing du es weiter, Kind, denn ich muß fort.

Den Becher trank ich leer, in raschem Zug
Und weiß, wer davon kostete, muß sterben ...
Du aber, Kind, sollst nur das Leuchten erben
Und all den Segen, den es in sich trug:

Mir war das Leben wie ein Wunderbaum,
Von dem in Sommernächten Psalmen tönen.
– Nun sind die Tage wie geträumter Traum;
Und alle meine Nächte, alle – Tränen.

Ich war so froh. Mein Herz war so bereit.
Und Gott war gut. Nun nimmt er alle Gaben.
In deiner Seele, Kind, kommt einst die Zeit,
Soll, was ich nicht gelebt, Erfüllung haben.

Ich werde still sein; doch mein Lied geht weiter.
Gib du ihm deinen klaren, reinen Ton.
Du sei ein großer Mann, mein kleiner Sohn.
Ich bin so müde – aber du sei heiter.

Elegie für Steven

Kein Wort vermag Unsagbares zu sagen.
Drum bleibe, was ich trage, ungesagt.
Und dir zuliebe will ich nicht mehr klagen.
Denn du, mein stolzer Sohn, hast nie geklagt.

Und hätt' ich hundert Söhne: Keiner wäre
Mir je ein Trost für diesen, diesen einen!
Sagt ich: hundert? Ja, ich sagte hundert
Und meinte hundert. Und ich habe keinen.

Daß man doch lernte, sich vor ihm zu neigen,
Der grausam nimmt, was er so zögernd gab.
Solang mein Herz schlägt, ist darin dein Grab.
Ich setze dir ein Mal aus purem Schweigen.

Kein Wort. Kein Wort, Gefährte meiner Trauer!
Verwehte Blätter, treiben wir dahin.
Nicht, daß ich weine, Liebster, darf dich wundern,
Nur daß ich manchmal ohne Träne bin.

Ich und Du

Morgenländisches Liebeslied

Drei Tropfen Herzblut weinte ich um dich.
Von ihrer Röte tranken alle Rosen.
Siehst du den Wind ein Rosenblatt liebkosen,
Rot wie mein Blut: Denke du an mich.

Ich war das Kind, dem alle Wolken sangen,
Sie wiegten sich in meinem jungen Traum.
Mein waren Stern und See und lichter Baum
In Waldesfrühe schlank und taubehangen.

Nachts bot der Mond mir seinen Silberball,
Die Blumen baten: Nimm von unsern Düften.
Mir wob der Frühling Träume aus Kristall
Und hängte mir sein Blühen um die Hüften.

– Das alles warf ich fort, wie Kinder tun
Mit ihren müdgespielten Kieselsteinen,
Um einen Pulsschlag in dir auszuruh'n
Und dann mein letztes Herzblut zu verweinen.

Das Ende vom Lied

Ich säh dich gern noch einmal wie vor Jahren
Zum erstenmal. Jetzt kann ich es nicht mehr.
Ich säh dich gern noch einmal wie vorher,
Als wir uns herrlich fremd und sonst nichts waren.

Ich hört dich gern noch einmal wieder fragen,
Wie jung ich sei, was ich des Abends tu.
Und später dann im kaum gebornen Du
Mir jene tausend Worte Liebe sagen.

Ich würde mich so gerne wieder sehnen,
Dich lange ansehn stumm und so verliebt.
Und wieder weinen, wenn du mich betrübt,
Die viel zu oft geweinten dummen Tränen.

Das alles ist vorbei. Es ist zum Lachen!
Bist du ein andrer, oder liegts an mir?
Vielleicht kann keiner von uns zwein dafür.
Man glaubt oft nicht, was ein paar Jahre machen.

Ich möchte wieder deine Briefe lesen,
Die Worte, die man liebend nur versteht.
Jedoch mir scheint, heut ist es schon zu spät.
Wie unbarmherzig ist das Wort: gewesen!

Das letzte Mal

Du gingest fort. – In meinem Zimmer
Klingt noch leis dein letztes Wort.
Schöner Stunden matter Schimmer
Blieb zurück. Doch du bist fort.

Lang noch seh ich steile Stufen
Zögernd dich hinuntergehn,
Lang noch spür ich ungerufen
Dich nach meinem Fenster sehn,

Oft noch hör ich ungesprochen
Stumm versinken manches Wort,
Oft noch das gewohnte Pochen
An der Tür. – Doch du bist fort.

Berlin-Charlottenburg
Mommsenstr. 44
1938

Solo für Frauenstimme

Wenn du fortgehst, Liebster, wird es regnen,
Klopft die Einsamkeit, mich zu besuchen.
Und ich werde meinem Schicksal fluchen.
Deine Tage aber will ich segnen.

Du drangst wie Sturmwind in mein junges Leben,
Und alle Mauern sanken wie Kulissen.
Du hast das Dach von meinem Haus gerissen.
Doch neuen Schutz hast du mir nicht gegeben.

So starb ich tausendmal. Doch da du kamst,
Mocht ich das Glück, dir nah zu sein, nicht stören.
Wie aber solltest du mein Schweigen hören,
Da du doch nicht einmal mein Wort vernahmst …

Blatt im Wind

Laß mich das Pochen deines Herzens spüren,
Daß ich nicht höre, wie das meine schlägt.
Tu vor mir auf all die geheimen Türen,
Da sich ein Riegel vor die meinen legt.

Ich kann es, Liebster, nicht im Wort bekennen,
Und meine Tränen bleiben ungeweint,
Die Macht, die uns von Anbeginn vereint,
Wird uns am letzten aller Tage trennen.

All meinen Schmerz ertränke ich in Küssen.
All mein Geheimnis trag ich wie ein Kind.
Ich bin ein Blatt, zu früh vom Baum gerissen.

Ob alle Liebenden so einsam sind?

Liebeslied

Wenn du mich einmal nicht mehr liebst,
Laß mich das ehrlich wissen.
Daß du mir keine Lüge gibst
Noch Trug in deinen Küssen!

Daß mir dein Herz die Treue hält,
Mußt du mir niemals schwören.
Wenn eine andre dir gefällt,
Sollst du nicht mir gehören.

Wenn du mich einmal nicht mehr magst,
Und geht mein Herz in Scherben –
Daß du nicht fragst, noch um mich klagst!
Ich kann so leise sterben.

Zärtliche Epistel

Der blaue Himmel ist nur halb so blau,
Weil du nicht da bist, Liebster. Deine Nähe
Macht, daß ich alles Schöne schöner sehe.
Ich bin doch eine unmoderne Frau!

Ich liebe dich trotz Ehering und Sorgen,
Und Heimat ist nur, wo mit dir ich bin.
Fühl ich mich heimlich doch noch Königin,
Auch wenn uns Wirt und Bäcker nicht mehr borgen.

Musik ist wo du bist. Dein Stirb und Werde.
Ja, selbst der Kummer trägt ein schönes Kleid.
Viel lieber noch ist mir der Träumer Leid
Als sattes Glück der wohlversorgten Herde.

Der Wald hier, mein Lieb, ist ein richtiger Wald.
Und die Bäume ... die Bäume, sie rauschen.
Und *le lac* ist ein See, ein richtiger See,
Und die steigenden Hügel – kein Traum.
O wie gut ists, dem Schweigen zu lauschen
Und dem Vogelgezwitscher im Baum.

Du wirst bestimmt zum Wochenende kommen?
Gesegnet sei das gute Telefon!
Es gibt hier Rehe ... Unser kleiner Sohn
Und meine Sehnsucht haben zugenommen.

Kein Wiedersehen ohne Abschiedsschmerz,
Dies gilt noch immer. Aber, liebes Herz,
Man muß sich nicht so schrecklich weit entfernen,
Um diese alte Weisheit neu zu lernen.

Sonett in Dur

Ich frage mich in meinen stillen Stunden,
Was war das Leben, Liebster, eh du kamst
Und mir den Schatten von der Seele nahmst.
Was suchte ich, bevor ich dich gefunden?

Wie war mein Gestern, such ich zu ergründen,
Und sieh, ich weiß es nur noch ungefähr.
So ganz umbrandet mich das Jetzt, dies Meer,
In das die besten meiner Träume münden.

Vergaß ich doch, wie süß die Vögel sangen,
Noch eh du warst, der Jahre buntes Kleid.
Mir blieb nur dies von Zeiten, die vergangen:
Die weißen Winter und die Einsamkeit.

Sie warten meiner, läßt du mich allein.
Und niemals wieder wird es Frühling sein.

Die Dritte Sinfonie

Als ich heut wieder Mahlers »Dritte« hörte,
Umfingen mich die Schatten alter Zeit,
Und auf den Schwingen der Unendlichkeit
Entfloh ich dieser Stadt und dem Getriebe,
In das Gewoge der Vergangenheit,
In das Vineta unsrer ersten Liebe.

Ein Gestern grüßte mich bei jedem Schritte,
Das dunkle Tor, das dem Erinnern sich
Stets halb verweigert hatte – Mahlers »Dritte«
Erschloß es wie ein »SESAM ÖFFNE DICH!«
Und alles, was jahrzehntelang schon schlief,
Schien aufbewahrt in ›unserem‹ Motiv …

Wie Japanblumen, leblos im Papier,
Im Wasser aufgehn und sich bunt entfalten –
So regten sich bei jedem Takt in mir
Die eingefrornen Träume und Gestalten.
Daß es doch möglich wär, sie festzuhalten,
– Den Augenblick, und was ihm bang entstieg,
Die Stimme, was sie sagte und verschwieg –
Sich fortzuretten aus den Gletscherspalten
Ins Sonnenreich unsterblicher Musik.

Signal

Als wir zu dritt
Die Straße überquerten,
Wurde sogar
Die Verkehrsampel
Rot.
Umstellt von der Meute
Abgasschnaubender Wagen,
Ergriff ich den Arm des einen,
Der rechts von mir ging.
Nicht den des anderen,
Dessen Ring ich trug.
Als wir zu viert
Uns jenseits der Kreuzungen
Trafen,
Wußten es alle.
Der eine. Der andre.
Das Schweigen.
Und ich.

Abschied – nach berühmtem Muster

Scheiden heißt sterben. Und Abschied, das ist Tod.
Noch eh du fortgehst, hast du mich verlassen.
Schon trauert es um dich in allen Gassen,
Und »letzter Tag«, das schmeckt wie Gnadenbrot.

Warten heißt welken. Nichts kehrt so zurück,
Wie's einmal war. Wer kann das wohl ergründen?
Du wirst mich treffen, aber nicht mehr finden.
So wird es sein. Ich kenne dieses Stück.

Der Vorhang fiel, wie es das Stück gebot.
Zuhaus erwarten mich vier fremde Wände.
Dein Schritt verhallt. Und so beginnt das Ende.
Scheiden heißt sterben. Und Abschied, das ist Tod.

Im Volkston

Nun bin ich worden fünfzig Jahr
Und muß bald scheiden. Schon?
Wie kurz das liebe Leben war.
Was lieb ist, eilt davon.

Herr, der du unsre Herzen zwei
Gefügt zu einem Stück,
Ist meines Liebsten Zeit vorbei,
So nimm auch mich zurück.

Gruß aus Davos

Es hustet einer so wie du
Im Zimmer nebenan.
Ich sah ihn heut am Frühstückstisch,
Den fremden kranken Mann.

Das Personal stand wie ein Heer
Vor seinen Wünschen Wacht,
Und jeder seiner Blicke schien
Zu kommandieren: Habt acht!

Er aß und trank, er aß und las
Sein vaterländisch Blatt.
Und in der Küche heißt man ihn
Den Herrn von Nimmersatt.

Mit diesem Individuum
Wohn ich nun Tür an Tür.
– Und hustet es von nebenan,
So sehn ich mich nach dir ...

Ich und Du

Ich und Du wir waren ein Paar
Jeder ein seliger Singular
Liebten einander als Ich und als Du
Jeglicher Morgen ein Rendezvous
Ich und Du wir waren ein Paar
Glaubt man es wohl an die vierzig Jahr
Liebten einander in Wohl und in Wehe
Führten die einzig mögliche Ehe
Waren so selig wie Wolke und Wind
Weil zwei Singulare kein Plural sind.

Du sollst nicht wissen, daß ich einsam bin

Auf Reisen

Ich gehe wieder auf Reisen
Mit meiner leisen
Gefährtin, der Einsamkeit.

Wir bleiben zu zweien einsam
Und haben nichts weiter gemeinsam
Als diese Gemeinsamkeit.

Die Fremde ist Tröstung und Trauer
Und Täuschung wie alles. Von Dauer
Scheint Traum nur und Einsamkeit.

Ein Post Scriptum

Von meinem alten Anwalt kam ein Brief.
Er schreibt wie immer.
Sachlich, fachlich. Ihr ergebener.

Da übersah ich beinah
das Post Scriptum.

»Nun, da mein Leben sich dem Abend zuneigt
und jenes dunkeln Engels Flügelschlagen
schon manche Nacht den Herzschlag übertönt,
will ich, Verehrteste, es ein Mal sagen:
Ich habe dreißig Jahre Sie geliebt.

Nun liegt ein Weltmeer zwischen mir und Ihnen.
Und immer warte ich, daß noch ein Brief,
kein Liebesbrief und doch ein Schmetterling,
in mein mit Akten tapeziertes Leben
flattert.«

Finale con moto

Du hast in mir viel Lichter angezündet,
Mit blauen Träumen mir den Tag erfüllt,
Und alles Blühen, alles Leuchten mündet
Noch im Erlöschen hin zu deinem Bild.

Du kamst: Zum Garten ward das Grau der Straßen.
Du kamst nicht, und der Tag hat nicht gezählt.
Wie hat, allein, das Leben mich gequält.
Der große Trug, den wir zu zweit vergaßen.

Es war der gleiche Sang in unserm Blut,
Die gleiche Saite, jäh entzweigerissen.
Ein müder Klang, um den wir selbst kaum wissen,
Jahrtausendalte, halberstorbne Glut.

Verwehter Ton, der noch im Klingen schweigt,
Gesumm, das ohne Anfang ist und Ende.
Da sich der Schatten deines Ahns dir neigt,
Umfängt auch mich der Segen seiner Hände.

Stumm zu verlöschen, ist der letzte Sinn,
Still fortzugehen, eh das Feuer schwindet.
Du hast in mir viel Lichter angezündet ...

Du sollst nicht wissen, daß ich einsam bin.

Kommentar überflüssig

Kein Wort ist groß genug, es ganz zu sagen,
Kein Ton so rein, daß es in ihm erklingt.
Wir müssen alles in uns weitertragen,
Tief wissend, daß es endlich uns bezwingt.

Und leise spür ich, wie wir uns entgleiten,
Da jeder stumm sein starres Schweigen schweigt.
Wie aus dem Nebel schimmern fern die Zeiten,
Da eines sich dem andern zugeneigt.

So fällt am Morgen jeder Traum zusammen.
So stirbt zur Nacht das Licht des Tages bang.
Zu fahler Asche brennen alle Flammen.
– Das Lied ist aus. Die Melodie verklang.

Sonett in Moll

Denk ich der Tage, die vergangen sind,
Und all des Lichtes, das tief in uns strahlte,
Da junge Liebe Wolken rosig malte
Und goldne Krone lieh dem Bettlerskind.

Denk ich der Städte, denk ich all der Straßen,
Die wir im Rausch durchflogen, Hand in Hand …
Sie führten alle in das gleiche Land,
Das Land, zu dem wir längst den Weg vergaßen.

Nun stehn die Wächter wehrend vor den Toren
Und reißen uns die Krone aus dem Haar.
Grau ist die Wolke, die so rosig war.
Und all das Licht, das Licht in uns – verloren.

Im Traume nur siehst du es glühn und funkeln.
– Ich spür es wohl, wie unsre Tage dunkeln.

Allerseelen

Ob wohl die Toten im Grabe nichts spüren?
Ob sie nicht dürsten, ob sie nicht frieren …
Ahnen sie nichts mehr von Freude und Trauer,
Sind sie so leblos wie Mörtel und Mauer,
Die ja, so meint man, wie Wolke und Wind
– Weiß man es wirklich? – empfindungslos sind.
Sehnen sich Tote nie mehr nach dem Einst?
Wissen sie gar nicht, daß du um sie weinst,
Laut um sie klagst in den sternhellen Nächten,
Mit ihnen bist in den finsteren Schächten,
Wo sie nun liegen mit Erde und Wurm.

In meinen Träumen läutet es Sturm,
Schlägt's an mein Fenster, rasselt's an Türen.
– Ob wohl die Toten im Grabe nichts spüren?

Was man so alles überlebt

Ich frage mich oft,
Und ich gehe mir dabei selbst auf die Nerven.
Denn es ist eine Frage in mehreren Strophen:
Warum werfen uns seelische Katastrophen
Nicht um?

Gewiß, sie tun es schon. Aber sozusagen auf Raten.
Wenn wir, zum Beispiel, bei einem Unfall
Gründlich unter die Räder geraten,
Ist das eine einmalige Sache.
Und der Tod
Kommt
Prompt.

Hingegen, wenn uns, na, sagen wir es blumig,
Das sogenannte Rad des Lebens –
»Zermalmt« ist da wohl das richtige Wort –
So geschieht das keineswegs sofort.
Das Unglück läppert sich. Mit oder ohne Schuld.
Die Katastrophe sagt mit fast zynischem Gähnen:
Geduld, Geduld!
Du wirst dich schon an mich gewöhnen.

Wenn das, was wir Liebe zu nennen gewohnt sind,
Stirbt,
Geschieht es auch selten auf einen Schlag,
Sondern auch nur so schrittweise, Tag um Tag
Vielleicht ein Tausendstel Millimeter.
– Sonst gäb's chronische Epidemien von gebrochenen
   Herzen.
So aber verschmerzen wir's fast. Und später
Lächelt man fast unter Trümmern und Scherben
Über so manches vernarbte Ade.

Denn der Tod tut nicht weh.
Nur das Sterben.

Aus dem Leben eines Einzelgängers

Einen Tagedieb
Schelten mich die Nachbarn.
Doch ich
Schön früh
Im Schweiße meines Angesichtes
Säge an dem Ast, auf dem ich sitze,
Überprüfe meine brachliegenden Äcker und
Werfe fleißig
Die Flinte ins Korn.

Schlägt es dreizehn,
Löffle ich fromm
Die Suppe aus, die ich mir
Eingebrockt habe, und beiße zufrieden
In den sauren Apfel.
Ein gut Gewissen ist der beste Koch.

Kommt Besuch,
Setze ich die Herren
Gemütlich zwischen zwei Stühle,
Die Damen in Verlegenheit und
Mich selbst in die stets bereiten
Brennesseln.

Zu festlichen Gelegenheiten
Schlage ich dem Faß den Boden aus und
Schlachte die Henne, die die goldenen Eier legt.
Carpe diem!
Das heißt: Nütze den Tag!

Endlich Feierabend.
Ich lege mich auf die wohlverdiente
Bärenhaut, falte die Hände
In den Schoß und
Träume
Von aller Tage Abend.

Aquarell in Grau

Das ist ein Wetter! Ganz zum Abschiednehmen.
Die graue Welt trägt Trauer. Und mir scheint,
Daß selbst der Himmel um uns beide weint,
Und ohne seiner Tränen sich zu schämen.

Ich habe diesen Tag vorausgesehn.
Warum nur muß ich alles doppelt tragen?
– Einmal in Nachtgesichten, die mich plagen,
Und dann das zweite Mal, wenn sie geschehn …

So wie ein Häftling, der verurteilt ist,
Verzweifelnd träumen mag das Wunderbare,
Hofft ich auf Wunder diese letzten Jahre
Und lebte nur noch auf Bewährungsfrist.

Die Zeit schreibt harte Zeilen in mein Buch,
Und ihre Handschrift kann ich selten lesen.
Ein Wort erkenn ich immerfort: gewesen.
Doch wer entziffert mir den ganzen Spruch?

Ich habe oft versucht, ihn zu ergründen.
Mit Blut geschrieben schien, was ich da las,
Gelöscht mit Streusand aus dem Stundenglas.
Jedoch der Sinn … wer kann den Sinn mir künden?

Keiner wartet

Alle müssen sie heim. Nur ich muß nicht müssen.
Keiner wartet, daß ich das Essen ihm richte.
Keiner sagt, komm, setz dich her. Wie bist du müde!
Schneidet mir keiner das Brot.

Keiner weiß, wie ich war mit achtzehn, damals.
Keiner stellt mir den ersten Flieder hin,
Holt mich vom Zug mit dem Schirm.

Ist keiner, dem ich beim Lampenlicht lese,
Was der Chinese vom Witwentum sagt:
»Die Gott liebhat, nimmt er zu sich,
Ehe er ihr den Geliebten nimmt.«

Monolog für Alleinstehende

Ruf mich doch an!
Zwo Zwo Acht Eins Null Neun.
So gegen sieben, wenn es dämmert.
Man fühlt sich dann so schrecklich übriggeblieben
Und ziemlich belämmert
Mit seinem einsamen Whisky
Und der matten gelben Rose
Im schwedischen Glas
Und dem Abendrefrain:
Wozu? Wozu.
Nach wieder einmal eines Tages Mühen.
Das kann einem schon auf die Nerven gehn.
Ich werde doch endlich das Gas aufdrehen.
Und dir einen ordentlichen Kaffee brühen.

– Was dachtest denn du?

Mitte Dezember

Es wird auch andere Tage noch geben,
Doch heute bin ich zu Tode betrübt.
Ich war wohl noch niemals in diesem Leben
In keinen einzigen Menschen verliebt.

Ich war wohl noch niemals in diesem Leben
In keinen einzigen Menschen verhaßt.
Es wird auch andere Tage noch geben,
Zuweilen glaube ich es fast.

Dezemberwind rüttelt an Fenster und Mauer,
Das also wird künftig die Jahreszeit sein.
Ich bin so verlassen in meiner Trauer
Und werde es lange und lange noch sein.

Ein sogenannter schöner Tod

Eines Morgens wachst du auf und bist nicht mehr am
Leben.
Über Nacht, wie Schnee und Frost, hat es sich begeben.
Aller Sorgen dieser Welt
Bist du nun enthoben.
Krankheit, Alter, Ruhm und Geld
Sind wie Wind zerstoben.
Friedlich sonnst du dich im Licht
Einer neuen Küste,
Ohne Ehrgeiz, ohne Pflicht.
– Wenn man das nur wüßte!

Irgendwer

Einer ist da, der mich denkt.
Der mich atmet. Der mich lenkt.
Der mich schafft und meine Welt.
Der mich trägt und der mich hält.
Wer ist dieser Irgendwer?
Ist er ich? Und bin ich Er?

Heimweh nach den Temps perdus

Im Exil

Ich hatte einst ein schönes Vaterland –
So sang schon der Flüchtling Heine.
Das seine stand am Rheine,
Das meine auf märkischem Sand.

Wir alle hatten einst ein (siehe oben!).
Das fraß die Pest, das ist im Sturz zerstoben.
O Röslein auf der Heide,
Dich brach die Kraftdurchfreude.

Die Nachtigallen wurden stumm,
Sahn sich nach sicherm Wohnsitz um,
Und nur die Geier schreien
Hoch über Gräberreihen.

Das wird nie wieder, wie es war,
Wenn es auch anders wird.
Auch, wenn das liebe Glöcklein tönt,
Auch wenn kein Schwert mehr klirrt.

Mir ist zuweilen so, als ob
Das Herz in mir zerbrach.
Ich habe manchmal Heimweh.
Ich weiß nur nicht, wonach.

Rezept

Jage die Ängste fort
Und die Angst vor den Ängsten.
Für die paar Jahre
Wird wohl alles noch reichen.
Das Brot im Kasten
Und der Anzug im Schrank.

Sage nicht mein.
Es ist dir alles geliehen.
Lebe auf Zeit und sieh,
Wie wenig du brauchst.
Richte dich ein.
Und halte den Koffer bereit.

Es ist wahr, was sie sagen:
Was kommen muß, kommt.
Geh dem Leid nicht entgegen.
Und ist es da,
Sieh ihm still ins Gesicht.
Es ist vergänglich wie Glück.

Erwarte nichts.
Und hüte besorgt dein Geheimnis.
Auch der Bruder verrät,
Geht es um dich oder ihn.
Den eignen Schatten nimm
Zum Weggefährten.

Feg deine Stube wohl.
Und tausche den Gruß mit dem Nachbarn.
Flicke heiter den Zaun
Und auch die Glocke am Tor.
Die Wunde in dir halte wach
Unter dem Dach im Einstweilen.

Zerreiß deine Pläne. Sei klug
Und halte dich an Wunder.
Sie sind lang schon verzeichnet
Im großen Plan.
Jage die Ängste fort
Und die Angst vor den Ängsten.

Inventar

1

Haus ohne Dach
Kind ohne Bett
Tisch ohne Brot
Stern ohne Licht.

2

Fluß ohne Steg
Berg ohne Seil
Fuß ohne Schuh
Flucht ohne Ziel.

3

Dach ohne Haus
Stadt ohne Freund
Mund ohne Wort
Wald ohne Duft.

4

Brot ohne Tisch
Bett ohne Kind
Wort ohne Mund
Ziel ohne Flucht.

Nachts

I

Es hat an meine Tür geklopft.
Ich wagte kein »Herein«!
Doch klopfte es ein zweites Mal,
Ich sagte wohl nicht nein.

Noch war das Sterben mir so fremd.
Das war, als es begann.
Doch, schläft man oft im Totenhemd,
Gewöhnt man sich daran.

II

Die Nacht,
In der
Das Fürchten
Wohnt,

Hat auch
Die Sterne
Und den
Mond.

Sei still ...

Als ich der Mutter meinen Kummer klagte,
Ich höre noch, was sie dem Kinde sagte
Mit einem Lächeln, wie ich's nie gesehn –
»Sei still, es wird vorübergehn.«

So hielt ich still. Und manches ging vorüber.
Denn alles geht vorüber mit der Zeit:
Das große Glück. Das Frösteln und das Fieber.
Selbst ein Novembertag, ein noch so trüber.
Beständig bleibt nur: Unbeständigkeit.

Als dann der große Zweifel an mir nagte,
– Ich wußte schon, daß man es keinem klagte
Und daß sogar die Freunde mißverstehn –
So oft ich damals an mir selbst verzagte,
War es die leise Stimme, die mir sagte:
Sei still, es wird vorübergehn.

Was ist nicht alles schon dahingegangen
Wie Schneegestöber und wie Windeswehn ...
Und dennoch hab ich jetzt erst angefangen,
Den Dingen langsam auf den Grund zu sehn.

Wer nichts begehrt, der ist nicht zu berauben,
Gespenster sind nur dort, wo wir sie glauben.
Ich habe lange, lange nicht geklagt.
Nichts tut das Leid dem, der »es tut nichts« sagt.
Sei, der du bist. Mag kommen, was da will.
Es geht an dir vorüber, bist du still.

Nachts gegen Drei

Mein Herz schrie auf. Ich bin erwacht
Und starre dunkel in die Nacht.
Die Stadt schlief ein auf grauem Stein.
Ich bin allein. Bin ganz allein.

Mich hat ein Traum erschreckt.
Das hinterlistige Tier,
Der tags verscheuchte Kummer streckt
Die Fänge aus nach mir.

Erstorben schweigt das laute Haus.
Nun ging die letzte Lampe aus.
Wer jetzt nicht ruht, den weckte Schmerz.
Ich bin erwacht. Es schrie mein Herz.

Wie ich vor dem Fenster, so stehn
Allerorten wohl nächtliche Brüder,
Die Sterne verblassen zu sehn
Und dem Uhrenschlag wieder und wieder
Zu lauschen und dem Klang der verschollenen Lieder
In des Morgenwinds tröstlichem Wehn …

Unter fremdem Dach

Nachts hör ich den Regen
Unter fremdem Dach.
Regen ... Regen ...
Wie hältst du mich wach
Unter fremdem Dach!

So rauschte der Regen
In jenem Jahr
Durch singende Birken
Im triefenden Haar,
In meiner Heimat
Fontänen.

Nun rauscht er mir nimmer
Von Quelle und Bach.
Nun rauscht er mir immer
Von Tränen.

Regen ... Regen ...
Unter fremdem Dach
Hab ich zu lang,
Zu lang gelegen.

Einer Negerin im Harlem-Expreß

Dunkles Mädchen eines fremden Stammes,
Tief im Dschungel dieser fremden Stadt,
Deiner Augen schwarzverhangne Trauer
Sagt mir, was dein Herz gelitten hat.

Immer möchte ich dich leise fragen:
Weißt du, daß wir heimlich Schwestern sind?
Du, des Kongo dunkelbraune Tochter,
Ich, Europas blasses Judenkind.

Vor der Schmach, die Abkunft zu verstecken,
Schützt dich, allen sichtbar, deine Haut.
– Vor der andern Haß, da sie entdecken,
Daß sie dir »versehentlich« vertraut.

Der Eremit

Sie warfen nach ihm mit Steinen.
Er lächelte mitten im Schmerz.
Er wollte nur sein, nicht scheinen.
Es sah ihm keiner ins Herz.

Es hörte ihn keiner weinen,
Er zog in die Wüste hinaus.
Sie warfen nach ihm mit Steinen.
Er baute aus ihnen sein Haus.

Der Fremde

Sie sprechen von mir nur leise
Und weisen auf meinen Schorf.
Sie mischen mir Gift in die Speise.
Ich schnüre mein Bündel zur Reise
Nach uralter Vorväter Weise.
Sie sprechen von mir nur leise.
Ich bleibe der Fremde im Dorf.

Auf einer Bank

In jenem Land, das ich einst Heimat nannte,
Wird es jetzt Frühling wie in jedem Jahr.
Die Tage weiß ich noch, so licht und klar,
Weiß noch den Duft, den all das Blühen sandte,
Doch von den Menschen, die ich einst dort kannte,
Ist auch nicht einer mehr so, wie er war.

Auch ich ward fremd und muß oft Danke sagen.
Weil ich der Kinder Spiel nicht hier gespielt,
Der Sprache tiefste Heimat nie gefühlt
In Worten, wie die Träumenden sie wagen.
Doch Dank der Welle, die mich hergetragen,
Und Dank dem Wind, der mich an Land gespült.

Sagst du auch *stars,* sind's doch die gleichen Sterne,
Und *moon,* der Mond, den du als Kind gekannt.
Und Gott hält seinen Himmel ausgespannt,
Als folgte er uns nach in fernste Ferne,
(Des Nachts im Traum nur droht die Mordkaserne)
Und du ruhst aus vom lieben Heimatland.

Der kleine Unterschied

Es sprach zum Mister Goodwill
ein deutscher Emigrant:
»Gewiß, es bleibt dasselbe,
sag ich nun *land* statt Land,
sag ich für Heimat *homeland*
und *poem* für Gedicht.
Gewiß, ich bin sehr happy:
Doch glücklich bin ich nicht.«

Heimweh, wonach?

Wenn ich »Heimweh« sage, sag ich »Traum«.
Denn die alte Heimat gibt es kaum.
Wenn ich Heimweh sage, mein ich viel:
Was uns lange drückte im Exil.
Fremde sind wir nun im Heimatort.
Nur das »Weh«, es blieb.
Das »Heim« ist fort.

Kein Kinderlied

Wohin ich immer reise,
Ich fahr nach Nirgendland.
Die Koffer voll von Sehnsucht,
Die Hände voll von Tand.
So einsam wie der Wüstenwind.
So heimatlos wie Sand:
Wohin ich immer reise,
Ich komm nach Nirgendland.

Die Wälder sind verschwunden,
Die Häuser sind verbrannt.
Hab keinen mehr gefunden.
Hat keiner mich erkannt.
Und als der fremde Vogel schrie,
Bin ich davongerannt.
Wohin ich immer reise,
Ich komm nach Nirgendland.

Wiedersehen mit Berlin

Berlin, im März. Die erste Deutschlandreise,
Seit man vor tausend Jahren mich verbannt.
Ich seh die Stadt auf eine neue Weise,
So mit dem Fremdenführer in der Hand.
Der Himmel blaut. Die Föhren rauschen leise.
In Steglitz sprach mich gestern eine Meise
Im Schloßpark an. Die hatte mich erkannt.

Und wieder wecken mich Berliner Spatzen!
Ich liebe diesen märkisch-kessen Ton.
Hör ich sie morgens an mein Fenster kratzen,
Am Ku-Damm in der Gartenhauspension,
Komm ich beglückt, nach alter Tradition,
Ganz so wie damals mit besagten Spatzen
Mein kleines Tagespensum durchzuschwatzen.

Es ostert schon. Grün treibt die Zimmerlinde.
Wies heut im Grunewald nach Frühjahr roch!
Ein erster Specht beklopft die Birkenrinde.
Nun pfeift der Ostwind aus dem letzten Loch.
Und alles fragt, wie ich Berlin denn finde?
– Wie ich es finde? Ach, ich such es noch!

Ich such es heftig unter den Ruinen
Der Menschheit und der Stuckarchitektur.
Berlinert einer: »Ick bejrüße Ihnen!«,
Glaub ich mich fast dem Damals auf der Spur.
Doch diese neue Härte in den Mienen ...
Berlin, wo bliebst du? Ja, wo bliebst du nur?

Auf meinem Herzen geh ich durch die Straßen,
Wo oft nichts steht als nur ein Straßenschild.
In mir, dem Fremdling, lebt das alte Bild
Der Stadt, die so viel Tausende vergaßen.
Ich wandle wie durch einen Traum
Durch dieser Landschaft Zeit und Raum.
Und mir wird so ich-weiß-nicht-wie
Vor Heimweh nach den Temps perdus ...

Berlin im Frühling. Und Berlin im Schnee.
Mein erster Versband in den Bücherläden.
Die Freunde vom Romanischen Café.
Wie vieles seh ich, das ich nicht mehr seh!
Wie laut »Pompejis« Steine zu mir reden!

Wir schluckten beide unsere Medizin,
Pompeji ohne Pomp. Bonjour, Berlin!

Der Jahre buntes Kleid

Nennen wir es »Frühlingslied«

In das Dunkel dieser alten, kalten
Tage fällt das erste Sonnenlicht.
Und mein dummes Herz blüht auf, als wüßt es nicht:
Auch der schönste Frühling kann nicht halten,
Was der werdende April verspricht.

Da, die Amseln üben schon im Chor,
Aus der Nacht erwacht die Welt zum Leben,
Pans vergessenen Flötenton im Ohr ...
Veilchen tun, als hätt' es nie zuvor
Laue Luft und blauen Duft gegeben.

Die Kastanien zünden feierlich
Ihre weißen Kerzen an. Der Flieder
Bringt die totgesagten Jahre wieder,
Und es ist, als reimten alle Lieder
Sich wie damals auf »Ich liebe dich«.

– Sag mir nicht, das sei nur Schall und Rauch!
Denn wer glaubt, der forscht nicht nach Beweisen.
Willig füg ich mich dem alten Brauch,
Ist der Zug der Zeit auch am Entgleisen –
Und wie einst, in diesem Frühjahr auch
Geht mein wintermüdes Herz auf Reisen.

Nachdenkliches Pfingstgedicht

Die Heckenrose greift nicht zum Kalender,
Um festzustellen, wann der Lenz beginnt.
Die Schwalben finden heim in ihre Länder.
Ihr »Reiseführer« ist der Maienwind.

Der kleinste Käfer rüstet sich im Grase
Und weiß auch ohne Weckeruhr Bescheid.
Die Frösche kommen pünktlich in Ekstase.
Und auch die Schmetterlinge sind bereit.
Im Stalle blöken neugeborne Schafe,
Und junge Entlein tummeln sich im Bach.
Der Wald erwacht aus seinem Winterschlafe
Ganz ohne Kompaß oder Almanach.

Ein Badehöschen flattert von der Stange.
Es riecht nach Maitrank, Bohnerwachs und Zimt.
Die Kaffeegärten rüsten zum Empfange.
Der Lenz beginnt. Es dauert ziemlich lange,
Bis ihn das Menschenherz zur Kenntnis nimmt.
Und Blüten treibt. (Sofern das Datum stimmt.)

Sozusagen grundlos vergnügt

Ich freu mich, daß am Himmel Wolken ziehen
Und daß es regnet, hagelt, friert und schneit.
Ich freu mich auch zur grünen Jahreszeit,
Wenn Heckenrosen und Holunder blühen.
– Daß Amseln flöten und daß Immen summen,
Daß Mücken stechen und daß Brummer brummen.
Daß rote Luftballons ins Blaue steigen.
Daß Spatzen schwatzen. Und daß Fische schweigen.

Ich freu mich, daß der Mond am Himmel steht
Und daß die Sonne täglich neu aufgeht.
Daß Herbst dem Sommer folgt und Lenz dem Winter,
Gefällt mir wohl. Da steckt ein Sinn dahinter,
Wenn auch die Neunmalklugen ihn nicht sehn.
Man kann nicht alles mit dem Kopf verstehn!
Ich freue mich. Das ist des Lebens Sinn.
Ich freue mich vor allem, daß ich bin.

In mir ist alles aufgeräumt und heiter:
Die Diele blitzt. Das Feuer ist geschürt.
An solchem Tag erklettert man die Leiter,
Die von der Erde in den Himmel führt.

Da kann der Mensch, wie es ihm vorgeschrieben,
– Weil er sich selber liebt – den Nächsten lieben.
Ich freue mich, daß ich mich an das Schöne
Und an das Wunder niemals ganz gewöhne.
Daß alles so erstaunlich bleibt, und neu!
Ich freue mich, daß ich … Daß ich mich freu.

Eine Schwalbe macht noch keinen – – wie bitte?

Der kahle Lindenbaum vor det Museum,
Is – haste Worte – wieda jrien belaubt.
Die Amseln üben wieda ihr »Te deum«,
Der Friehling kommt. Wer hätte det jejlaubt!
Ick laß mia von' Aprilwind nicht vaschrecken
– Von wejen »Volksmund«, ick bleib fest dabei:

Eene Schwalbe macht eenen Sommer!
Eene Rose macht eenen Mai!

In meinem Blumentopp blieht schon een Krokus
– Na, und mein Emil is so jut wie neu!
Nachts im Park jibts wieda Hokuspokus.
Aus eins und eins wird zwei. Und späta drei!
Det een Mal keen Mal sein soll, is een Märchen.
Man hat oft Pech, doch bleib ick fest dabei:
Eene Schwalbe macht eenen Sommer,
Eene Rose macht eenen Mai.
Ei wei!

Ein welkes Blatt …

Ein welkes Blatt – und jedermann weiß: Herbst.
Fröstelnd klirren die Fenster zur Nacht.
O grüne Welt, wie grell du dich verfärbst!

Schon raschelt der Winter im Laube.
Und die Vögel haben, husch, sich aus dem Staube
Gemacht.

Wie letzte Früchte fielen ihre Lieder vom Baum.
Nun haust der Wind in den Zweigen.

Die Alten im Park, sie neigen
Das Haupt noch tiefer. Und auch die Liebenden
Schweigen.

Bald sind alle Boote im Hafen.
Die Schwäne am Weiher schlafen
Im Nebellicht.

Sommer – entflogener Traum!
Und Frühling – welch sagenhaft fernes Gerücht!

Ein welkes Blatt treibt still im weiten Raum,
Und alle wissen: Herbst.

Herbstlicher Vers

Nun schickt der Herbst das Leuchten in die Wälder.
Grellbunte Brände lodert jedes Blatt.
Wie welkt das Herz dem wandermüden Fremden,
Der nur die Einsamkeit zur Heimat hat ...

Schon fegt der Sturm den Sommer in die Gosse.
Im Park der Ahornbaum schreit blutigrot.
Der Regen weint die immergleichen Tropfen,
Und auf den Wiesen riecht es morsch nach Tod.

Da überfällt den Wandrer banges Schweigen
Und tiefes Weh um Schönheit, die verdirbt.
Herr, nimm mich fort aus diesem letzten Glühen
Und laß mich sterben, eh mein Sommer stirbt.

Was die Rose im Winter tut

Was tut wohl die Rose zur Winterszeit?
Sie träumt einen hellroten Traum.
Wenn der Schnee sie deckt um die Adventszeit,
Träumt sie vom Holunderbaum.
Wenn Silberfrost in den Zweigen klirrt,
Träumt sie vom Bienengesumm,
Vom blauen Falter, und wie er flirrt ...
Ein Traum, und der Winter ist um!

Und was tut die Rose zur Osterzeit?
Sie räkelt sich, bis zum April.
Am Morgen, da weckt sie die Sonne im Blau,
Und am Abend besucht sie der Frühlingstau,
Und ein Engel behütet sie still.
– Der weiß ganz genau, was Gott will!
Und dann über Nacht, wie ein Wölkchen, ein Hauch,
Erblüht sie zu Pfingsten am Rosenstrauch.

Herbstliches Lied

Klopfet der Regen und tropft von den Steinen,
Klagen die Bäume und jammert der Wind.
Wie viele Tränen muß ich noch weinen,
Bis wir in Frieden beisammen sind.

Sieh, all die Vögel, sie zogen gen Süden,
Flohen den Winter und wichen dem Frost,
Aber uns ist keine Sonne beschieden,
Ruhlos durchwandern wir Nord, West und Ost.

Der du gebietest dem Mond und den Sternen,
Der du die Lilie im Feld nicht verläßt,
Sei du mit uns in der fernsten der Fernen!
Gib deine Hand uns, beschirm unser Nest.

Sehnsucht nach dem Anderswo

Drinnen duften die Äpfel im Spind,
Prasselt der Kessel im Feuer.
Doch draußen pfeift Vagabundenwind
Und singt das Abenteuer!

Der Sehnsucht nach dem Anderswo
Kannst du wohl nie entrinnen:
Nach drinnen, wenn du draußen bist,
Nach draußen, bist du drinnen.

Vagabundenspruch

Man soll seinen Mantel nicht zu lang an den gleichen
                                    Nagel hängen,
Weil es so oft dieser Nagel nur ist, der uns am Ende
                                    noch hält.
– Wer von uns weiß es denn noch, daß auch die
                                    düsteren, engen
Gassen ins Offene führen, in die unendliche Welt …

Bleib du in keiner Stadt; denn ihre Türme und Mauern
Sind Menschenwerk und haben nicht Bestand.
Doch Wälder, Berg und Strom schuf Gottes Hand.
Sie werden uns ein Weilchen überdauern
Auf diesem Stern, wo man so rasch vergißt.
– Wer sollte wohl um unsereinen trauern,
Der überall ein Zugereister ist;
Ein Herbergsschild vielleicht? Ein Polizist?

Was mich betrifft, ich weiß, es grünt das Feld,
Wenn längst kein räudiger Hund mehr nach mir bellt.
Und Schiffe ziehn, und Küsten blühn für andre.
Wer weiß das nicht? … Weil sich das so verhält
Auf dieser tollen, Wunder vollen Welt,
Nimm deinen Mantel von der Wand und wandre.

Aufbruch

Dem Eichhorn gleich, das seine Nuß verscharrt
Als Zehrung für die kalten Hungertage,
So grab ich meine blauen Träume ein
Und alles Hoffen, das ich in mir trage.

Die Spuren tilgend vor der Füchse Blick,
– Verborgne Schätze, finde ich euch wieder?
Wer weist den Weg mir, kehre ich zurück?
Des Adlers Flug und einer Lerche Lieder.

Sei achtsam, spreche ich zum Sommerregen.
Behutsam, bitte ich den Winterschnee.
So bangt das Herz um die verscharrten Träume,
Ich aber weiß, daß ich sie nimmer seh.

Stumm folge ich dem Zug der fremden Brüder.
Die tragen große Fahnen vor sich her.
Doch sah ich ihre Augen gegen Abend,
Sie waren leer.

So schlepp ich weiter an der schweren Kette
Und presse Brot und Wasser aus dem Stein.
Kehr ich einst wieder, werden meine Hände
Zu rauh für alle blauen Träume sein.

Advent

Der Frost haucht zarte Häkelspitzen
Perlmuttergrau ans Scheibenglas.
Da blühn bis an die Fensterritzen
Eisblumen, Sterne, Farn und Gras.

Kristalle schaukeln von den Bäumen,
Die letzten Vögel sind entflohn.
Leis fällt der Schnee ... In unsern Träumen
Weihnachtet es seit gestern schon.

Wir haben keine andre Zeit als diese

Der junge Joseph

Für Thomas Mann

Die ihr der Träume dunklen Sinn nicht faßt,
Wie haßt ihr mich, dem sich die Sterne neigen.
Wie ward der Auserwählte euch zur Last,
Da er das Wort berief, für ihn zu zeugen.

Ich bin der Becher bis zum Rand gefüllt,
Unkundig noch der großen Demut Schweigen.
Da sich der Brüder Garben vor mir beugen,
Werd ich zum Strom, der schwatzend überquillt.

Um Silberlohn verschachert ihr das Kind
Und glaubet so den Plan des Herrn vernichtet.
Mir aber ist ein goldner Thron errichtet
In jenen Landen, die euch fremde sind.

September 1946

Der Traum des Tschuangtse

> »Betrachte ich die Sache recht, so findet sich kein
> einziges Merkmal, mit Hilfe dessen ich unzweifelhaft
> bestimmen könnte, ob ich wach bin oder träume. Die
> Gesichte des Traumes und die Erlebnisse meines
> Wachzustandes ähneln einander so sehr, daß sie mich
> verwirren und ich wirklich nicht weiß, ob ich im ge-
> genwärtigen Augenblick nicht träume.«
>
> Descartes

Ihm träumte einst, er wär ein Schmetterling,
Der flatternd durch den blauen Äther ging,
Berauscht von Duft und Morgenluft und Sonne.
Das Leben war die reinste Falterwonne!

Es fiel ihm nicht einmal im Traume ein,
Er könnte jemals jemand anders sein.

Als er jedoch in seinem Bett erwachte,
War er durchaus kein Schmetterling und dachte:
Ich wüßte gar zu gern, wie sich das reimt!
– Wie, wenn von dem »Erwachen« ich erwachte?

Dann lächelte er leise vor sich hin:
Wie weiß ich nun, ob ich der Tschuangtse bin
Oder nur »Tschuangtse«, den der Falter träumt …?

Chinesische Legende

Hoch auf dem Felsen, abgeschieden
Lebten der Alte und sein Sohn
In stiller Eintracht, wohlzufrieden.
… Da lief den beiden das Pferd davon.

Der Nachbar, nach geraumer Frist,
Kam, den Verlust mitzubeklagen.
Da hörte er den Alten fragen:
»Wer weiß, ob dies ein Unglück ist?«

Und bald darauf, im nahen Walde
Vernahmen sie des Pferdes Tritt:
Das kam und brachte von der Halde
Ein Rudel wilder Rosse mit.

Der Nachbar, schon nach kurzer Frist,
Pries den Gewinn nach Menschenweise.
Da lächelte der Alte leise:
»Wer weiß, ob dies ein Glücksfall ist?«

Nun ritt der Sohn die neuen Pferde.
Sie flogen über Stock und Stein,
Ihr Huf berührte kaum die Erde …
Da stürzte er und brach ein Bein.

Der Nachbar, nach geraumer Frist,
Kam, um das Leid mit ihm zu tragen.
Da hörte er den Alten fragen:
»Wer weiß, ob dies ein Unglück ist?«

Bald dröhnt die Trommel durch die Gassen:
Es ist die Kriegsproklamation.
Ein jeder muß sein Land verlassen.
– Doch nicht des Alten lahmer Sohn.

Ansprache eines Bücherwurms

Der Kakerlak nährt sich vom Mist,
Die Motte frißt gern Tücher,
Ja selbst der Wurm ist, was er ißt.
Und ich, ich fresse Bücher.

Ob Prosa oder Poesie,
Ob Mord – ob Heldentaten –
Ich schmause und genieße sie
Wie einen Gänsebraten.

Ich bin ein sehr belesner Herr,
Nicht wie die andern Viecher!
Daß Bücher bilden, wißt auch ihr,
Und ich – ich fresse Bücher.

Die Nahrung, sie behagt mir wohl,
Verleiht mir Grips und Stärke.
Was andern Wurst mit Sauerkohl,
Das sind mir Goethes Werke.

Ich fraß mich durch die Literatur
So mancher Bibliotheken;
Doch warn das meiste, glaubt es nur,
Bloß elende Scharteken.

Das Bücherfressen macht gescheit.
So denken sich's die Schlauen.
Doch wer zuviel frißt, hat nicht Zeit,
Es richtig zu verdauen.

Drum lest mit Maß, doch lest genug,
Dann wird's euch wohl ergehen.
Bloß Bücher *fressen* macht nicht klug!
Man muß sie auch verstehen.

Chanson für Drehorgel

Gäb uns der Herr Genies statt der Talente!
Zwei Drittel Weisheit und ein Drittel List.
Wär man daheim in jedem Kontinente
Statt überall ein stotternder Tourist.
Wenn uns der Himmel etwas mehr Zeit gönnte
Als die uns zugeteilte Galgenfrist …

　　Ich träume oft vom Leben, wie's sein könnte,
　　Wenn's nicht so wäre, wie es nun mal ist.

Bedächt uns wer in seinem Testamente,
Ein Kunst-Mäzen. Ein edler Utopist.
Hätt man statt Schulden eine fette Rente,
Man würde hauptberuflich Optimist
Und übte sich im »Dolce far niente«,
Weil man es sonst am Ende noch vergißt …

　　Ich träume oft vom Leben, wie's sein könnte,
　　Wenn's nicht so wäre, wie es nun mal ist.

Gäb uns der Herr die wahren Parlamente!
Wär jeder Mann bloß Mensch und Zivilist.
Und wär die Freiheit keine Zeitungsente,
Der Freund ein Freund und kein Opportunist.
Wenn uns doch endlich keine Mauer trennte.
Dem faulen Zahn der Zeit fehlt ein Dentist ...

Ich denke oft ans Leben, wie's sein könnte,
Wenn's nicht so wäre, wie es leider ist.

Das bißchen Ruhm

Was ähnelt wohl dem bißchen Ruhme
So sehr wie eine Treibhausblume?
Soll dir das arme Pflänzchen sprießen,
Mußt du es täglich brav begießen.
Und Dünger streun. Und Unkraut jäten.
Aufs Wetter sehn. Und leise treten.
Doch pfeifst du drauf, so wirst du nie
Gekrönt von der A-ka-de-mie.

Wie glücklich ist der Pessimist

Wie glücklich ist der Pessimist,
Wenn etwas schiefgegangen ist!
Und geht es aller Welt auch schlecht,
Ihm bleibt der Trost: Er hatte recht!
Ein Träger düstrer Unheilsbrillen,
Glaubt er nicht mal an »freien Willen«.

Doch gläubig sind die Optimisten,
Ob sie nun Moslems, Juden, Christen.
Und kommen sie einst alle heil
In Gottes Himmelreich,
Dann sagt der Optimiste: »Weil ...«,
Der Pessimist: »Obgleich!«

Der Schwan

Ein Epilog

Der Schwan, wenn er sein Ende ahnt,
Das heißt: wenn ihm sein Sterben *schwant,*
Zieht sich zurück, putzt das Gefieder
Und singt das schönste seiner Lieder.

– So möcht auch ich, ist es soweit,
Mal eingehn in die Ewigkeit.

Wegweiser

Am Kreuzweg fragte er die Sphinx:
Geh ich nach rechts, geh ich nach links?
Sie lächelte: »Du wählst die Bahn,
Die dir bestimmt ward in dem Plan.
Links braust der Sturm, rechts heult der Wind:
Du findest heim ins Labyrinth.«

»Der Kaiser ist ja nackt!«

Auch jenes Kind sprach »ungefragt«,
wie mancher, der die Wahrheit sagt;
doch Leisetreter kriechen leider
in jedes Kaisers »neue Kleider«.

Nichts ist

– sagt der Weise.
Du läßt es erstehen.
Es wird mit dem Wind
Deines Atems verwehen
Unmerklich und leise.
Nichts ist. Sagt der Weise.

Zeitgemäße Ansprache

Wie kommt es nur, daß wir noch lachen,
Daß uns noch freuen Brot und Wein,
Daß wir die Nächte nicht durchwachen,
Verfolgt von tausend Hilfeschrein.

Habt ihr die Zeitung nicht gelesen,
Saht ihr des Grauens Abbild nicht?
Wer kann, als wäre nichts gewesen,
In Frieden nachgehn seiner Pflicht?

Klopft nicht der Schrecken an das Fenster,
Rast nicht der Wahnsinn durch die Welt,
Siehst du nicht stündlich die Gespenster
Vom blutigroten Trümmerfeld –?

Des Tags, im wohldurchheizten Raume:
Ein frierend Kind aus Hungerland,
Des Nachts, im atemlosen Traume:
Ein Antlitz, das du einst gekannt.

Wie kommt es nur, daß du am Morgen
Dies alles abtust wie ein Kleid
Und wieder trägst die kleinen Sorgen,
Die kleinen Freuden, tagbereit.

Die Klugen lächeln leicht ironisch:
Ça c'est la vie. Des Lebens Sinn.
Denn ihre Sorge heißt, lakonisch:
Wo gehn wir heute abend hin?

Und nur der Toren Herz wird weise:
Sieh, auch der große Mensch ist klein.
Ihr lauten Lärmer, leise, leise.
Und laßt uns sehr bescheiden sein.

Resignation für Anfänger

Suche du nichts. Es gibt nichts zu finden,
Nichts zu ergründen. Finde dich ab.
Kommt ihre Zeit, dann blühen die Linden
Über dem frischgeschaufelten Grab.

Kommt seine Zeit, dann schwindet das Dunkel,
Funkelt das wiedergeborene Licht.
Nichts ist zu Ende. Alles geht weiter.
Und du wirst heiter. Oder auch nicht.

Zwischen Vergehen und Wiederbeginnen
Liegt das Unmögliche. Und es geschieht.
Wie und Warum waren nie zu ersinnen.
Neu klingt dem Neuen das uralte Lied.

Geh nicht zu Grunde, den Sinn zu ergründen.
Suche du nicht. Dann magst du ihn finden.

In dieser Zeit

Wir haben keine andre Zeit als diese,
Die uns betrügt mit halbgefüllter Schale.
Wir müssen trinken, denn zum zweiten Male
Füllt sie sich nicht. – Vor unserm Paradiese

Droht schon das Schwert, für das wir auserlesen,
Verlorner Söhne landvertriebene Erben.
Wir wurden alt, bevor wir jung gewesen,
Und unser Leben ist ein Nochnichtsterben.

Wir kamen einst mit Kindes Gläubigkeit
In ein vom Sturm verwüstetes Jahrhundert.
Einst hofften wir. Nun schweigt's in uns verwundert.
Ihr aber könnt nur helfen dem, der schreit.

Verstohlen träumen wir von Wald und Wiese
Und dem uns zugeworfnen Brocken Glück …
Kein Morgen bringt das Heute uns zurück,
Wir haben keine andre Zeit als diese.

Die Zeit steht still

Die Zeit steht still. Wir sind es, die vergehen.
Und doch, wenn wir im Zug vorüberwehen,
Scheint Haus und Feld und Herden, die da grasen,
Wie ein Phantom an uns vorbeizurasen.
Da winkt uns wer und schwindet wie im Traum,
Mit Haus und Feld, Laternenpfahl und Baum.

So weht wohl auch die Landschaft unsres Lebens
An uns vorbei zu einem andern Stern
Und ist im Nahekommen uns schon fern.
Sie anzuhalten suchen wir vergebens
Und wissen wohl, dies alles ist nur Trug.

Die Landschaft bleibt, indessen unser Zug
Zurücklegt die ihm zugemeßnen Meilen.

Die Zeit steht still. Wir sind es, die enteilen.

Das sogenannte Rad des Lebens

Das sechste Leben

Eine Katze hat neun
Ich brachte es auf fünf
Das erste war keines
Aber das zählt fast doppelt.
Angst, Hunger, Dunkel
Dann kam die Liebe
Und der Tag schien wieder möglich

Leben Nummer zwei
Bootfahrt auf dem Wasser
Der Jugend.

Nummer drei begann, da hörte
Nummer zwei auf.
Sturm rüttelte am Dach
Die Seidendecke zerriß
Und wir lagen im Gras
Deckten uns zu mit der weißen Wolke
Auf blauem Grund.

Nummer vier begann damit, daß
Aus Zweien Drei wurden
Es war ein Märchen
Wunder schon zum Frühstück

Und Zauber am Abend
Wir ritten über das Weltmeer
Trockenen Fußes
Pfeile trafen dicht daneben
Die Glut versengte uns nicht
Wir flogen im Schatten der
Schutzengel-Schwingen

Alle drei die Gott liebte.
Dann nahm er uns das Kind
Schon war es ein Mann geworden
Ein Gott ...

Wieder allein, doch nicht
Wie zuvor, da zwei zu sein genügte ...

Ausgleichende Gerechtigkeit

Die Strafe, die ich oft verdient,
Gestehen wir es offen:
Ist sonderbarerweise nie
Ganz pünktlich eingetroffen.

Der Lohn, der mir so sicher war
Nach menschlichem Ermessen,
Der wurde leider offenbar
Vom Himmel auch vergessen.

Doch Unglück, das ich nie bedacht,
Glück, das ich nie erhofft –
Sie kamen beide über Nacht.
So irrt der Mensch sich oft.

Heiligenscheinheilige

Ich setzte den Freunden
Einen Heiligenschein auf.
Mußte lieben.
Und manchmal verehren.

Hat mich allerhand gekostet,
Das Heiligenschein-Spiel.
Bis auf einen
Sind alle verrostet.
Aber einer ist viel.

Ich lernte spät.
Doch ich lernte es gut.
Nämlich, daß ein gewöhnlicher Hut
Es, meistens wenigstens, ebenso tut.

Das ist schon was:
Auf den Wellen zu wippen
Und nicht umzukippen
Im wackligen Kahn.

Irren ist menschlich.
Wenn auch nicht human.

Einmal sollte man

Einmal sollte man seine Siebensachen
Fortrollen aus diesen glatten Geleisen.
Man müßte sich aus dem Staube machen
Und früh am Morgen unbekannt verreisen.

Man sollte nicht mehr pünktlich wie bisher
Um acht Uhr zehn den Omnibus besteigen.
Man müßte sich zu Baum und Gräsern neigen,
Als ob das immer so gewesen wär.

Man sollte sich nie mehr mit Konferenzen,
Prozenten oder Aktenstaub befassen.
Man müßte Konfession und Stand verlassen
Und eines schönen Tags das Leben schwänzen.

Es gibt beinahe überall Natur
(Man darf sich nur nicht sehr um sie bemühen)
Und so viel Wiesen, die trotz Sonntagstour
Auch werktags unbekümmert weiterblühen.

Man trabt so traurig mit in diesem Trott.
Die andern aber finden, daß man müßte.
Es ist fast, als stünd man beim lieben Gott
Allein auf der schwarzen Liste.

Man zog einst ein Lebenslos zweiter Wahl.
Die Weckeruhr rasselt. Der Plan wird verschoben.
Behutsam verpackt man sein kleines Ideal.
Einmal aber sollte man ... (Siehe oben!)

»Die Leistung der Frau in der Kultur«

Auf eine Rundfrage

Zu deutsch: »Die klägliche Leistung der Frau«.
Meine Herren, wir sind im Bilde.
Nun, Wagner hatte seine Cosima
Und Heine seine Mathilde.
Die Herren vom Fach haben allemal
Einen vorwiegend weiblichen Schatz.
Was uns Frauen fehlt, ist »Des Künstlers Frau«
Oder gleichwertiger Ersatz.

Mag sie auch keine Venus sein
Mit lieblichem Rosenmund,
So tippt sie die Manuskripte doch fein
Und kocht im Hintergrund.
Und gleicht sie auch nicht Rautendelein
Im wallenden Lockenhaar,
So macht sie doch täglich die Zimmer rein
Und kassiert das Honorar.

Wenn William Shakespeare fleißig schrieb
An seinen Königsdramen,
Ward er fast niemals heimgesucht
Vom »Bund Belesner Damen«.

Wenn Siegfried seine Lanze zog,
Don Carlos seinen Degen,
Erging nur selten an ihn der Ruf,
Den Säugling trockenzulegen.

Petrarcas Seele, weltentrückt,
Ging ans Sonette-Stutzen
Ganz unbeschwert von Pflichten, wie
Etwa Gemüseputzen.
Doch schlug es Mittag, kam auch er,
Um seinen Kohl zu essen,
Beziehungsweise das Äquivalent
In römischen Delikatessen.

Gern schriebe ich weiter
In dieser Manier,
Doch muß ich, wie stets,
Unterbrechen.
Mich ruft mein Gemahl.
Er wünscht, mit mir
Sein nächstes Konzert
Zu besprechen.

Steckbrief

Ich weiß, von wem
Die Bücher sind,
Wie eine Amaryllis duftet,
Und wie zum Beispiel ein Pihi
Fliegt.

Ich weiß auch meistens,
Was der Kaffee kostet
Und die dazugehörigen Brote.

Aber eigentlich
Lebe ich doch auf dem Mond.
Man sollte wohl eher sagen:
Leider.

Ich verfüge über das,
Was man eine
Gute Allgemeinbildung nennt,
Und ein nicht unzuverlässiges
Fingerspitzengefühl.
Auch treffen meine Vorahnungen
Nicht selten ein.

Trotzalledem
Komme ich recht oft
Aus dem Mustopf.
Und dann haben ihn die andern
Schon leergegessen.

Einer, der mich gut kannte,
Nannte dies
Meine liebenswerteren Mängel.

(Er beschützte mich
Vor den Freunden.)

Aber das ist lange her.
Und so tut es not,
Daß die Leute es wissen.

Darum sage ich das hier.

Unerledigtes auf dem Kalender

Zum Beispiel, Indien sähe ich noch gern,
Bevor ich fort muß. Und den Fudschijama,
Wie er so plötzlich aufragt, wolkenfern,
Vom Dämmerlicht geheimnisvoll umhuscht,
Wie Gott und Hokusai ihn hingetuscht.

Was ich als nächstes wohl zu sehn begehrte?
Das Reich des Tu-Fu und des Yüang-Ming,
Des Meisters Laotse, der im »Taoteking«
Den Segen weisen Nichtstuns uns bescherte
Und Schweigen (in fünftausend Worten) lehrte.

Dann: Jene Stadt, in der ich einst so fleißig
Die Schule schwänzte kurz vorm Abitur,
Und den Studenten, dem ich anno Dreißig
So zuversichtlich ewige Treue schwur.

Auch Jim, der Franziskaner werden sollte
– Ein Ideal, das lang ihm vorgeschwebt –
Und sich, für mich, das Leben nehmen wollte;
Und jetzt in Rom mit einer andern lebt.

Ein einziges Mal, und wär es mein Verderben,
Spielt ich in Monte Carlo gern Roulette.
Neapel sehen möcht ich und nicht sterben!
Und dann Paris ... Noch mal von A bis Zett.

Zum Schluß: Besuch auf einem andern Stern
Und ins Vergangne. (Letztres stellenweise.)
Unendlich vieles täte ich noch gern,
Eh ich auf immer unbekannt verreise.

Dies alles fiel mir bei den Worten ein:
»Der Herzbefund? – Er könnte besser sein.«

Bleibtreu heißt die Straße

Vor fast vierzig Jahren wohnte ich hier.
... Zupft mich was am Ärmel, wenn ich
So für mich hin den Kurfürstendamm entlang
Schlendere – heißt wohl das Wort.
Und nichts zu suchen, das war mein Sinn.
Und immer wieder das Gezupfe.
Sei doch vernünftig, sage ich zu ihr.
Vierzig Jahre! Ich bin es nicht mehr.
Vierzig Jahre. Wie oft haben meine Zellen
Sich erneuert inzwischen
In der Fremde, im Exil.
New York, Ninety-Sixth Street und Central Park,
Minetta Street in Greenwich Village.
Und Zürich und Hollywood. Und dann noch Jerusalem.
Was willst du von mir, Bleibtreu?
Ja, ich weiß. Nein, ich vergaß nichts.
Hier war mein Glück zu Hause. Und meine Not.
Hier kam mein Kind zur Welt. Und mußte fort.
Hier besuchten mich meine Freunde
Und die Gestapo.
Nachts hörte man die Stadtbahnzüge
Und das Horst-Wessel-Lied aus der Kneipe nebenan.
Was blieb davon?
Die rosa Petunien auf dem Balkon.
Der kleine Schreibwarenladen.
Und eine alte Wunde, unvernarbt.

Die sogenannten »letzten Dinge«

So wie ich das Leben sehe,
Ist mir eigentlich nicht klar,
Wie man, wenn man in der Nähe
Jener »letzten Dinge« war,

Nah dem Werden und Vergehen,
Tief im Zwiegespräch mit Gott,
– Wie man, als wär' nichts geschehen,
Heimkehrt in den alten Trott

Aus dem Reiche der Aeonen,
Seinen Tag nach Stunden mißt,
Nachts ein Streiter mit Dämonen,
Morgens brav sein Frühstück ißt …

So wie ich die Dinge sehe,
Will es mir nicht in den Sinn,
Daß man aus dem Ach und Wehe
Des Woher und des Wohin

Heimkehrt wie von kurzer Reise
(Die kein Baedeker beschreibt!)
Und wie je im Freundeskreise
Froh das Leben sich vertreibt;

Sorglos wie ein Kind auf Ferien,
Und als gäb es kein Warum.
– Zu den kosmischen Mysterien
Zähl' ich dies Mysterium.

Ausverkauf in gutem Rat

Ich habe aus traurigem Anlaß jüngst
So viel freundschaftlichen Rat erhalten,
Daß ich mich genötigt sehe,
Einen Posten guten Rat billig
Abzugeben.
Denn: so einer in Not ist,
Bekommt er immerfort
Guten Rat. Seltener Whisky.

Durch Schaden-Freunde
Wird man klug.
Sie haben für alles
Passenden Rat parat.
Für Liebeskummer und Lungenkrebs.
Für Trauerfälle und deren Gegenteil.
Denn Rat erspart oft Taten.
Befolgt der Freunde Un-Rat nicht!
Dann seid ihr wohl beraten.

»Take it easy!«

Tehk it ih-sie, sagen sie dir.
Noch dazu auf englisch.
»Nimm's auf die leichte Schulter!«

Doch, du hast zwei.
Nimm's auf die leichte.

Ich folgte diesem populären
Humanitären Imperativ.
Und wurde schief.
Weil es die andre Schulter
Auch noch gibt.

Man muß sich also leider doch bequemen,
Es manchmal auf die schwerere zu nehmen.

Abermals ein Jubiläum

Laßt uns, ihr Freunde, ohne viel Geschrei
Dem nächsten Jubeltag entgegengehen!
Die Hälfte unsres Lebens ist vorbei.
Nun gilt es noch, den Rest zu überstehen.

Nichts gleicht dem vielgeschmähten Jugendrausch!
Und Lob des Alters – nichts wie saure Trauben.
Vernunft und Reife? Brüder, welch ein Tausch,
Wenn man bedenkt, was uns die Jahre rauben.

Der Adler, er verlor die kühnen Schwingen.
Der Schmetterling, er wurde korpulent.
Die Nachtigall, sie hörte auf zu singen.
Der Löwe? Macht nun brav sein Testament.

Die Jahre ziehn, ein müdes graues Heer.
Und damals, das ist lange, lange her ...

Weil alles so vergeht, was dich einst freute
Und was dir wehgetan: Trink deinen Wein!
Was gestern morgen war, ist heute heute.
Was heute heute ist, wird morgen gestern sein.
Prägt euch das ein.

Temporäres Testament

Nach meinem Tode (Trauer streng verbeten)
Verlaß ich diesen elenden Planeten.
Wenn Plato recht hat – Plato ist mein Mann –:
Erst wenn man tot ist, fängt das Leben an.

Kapitel Eins beginnt mit dem Begräbnis,
Der Seele letztes irdisches Erlebnis.
Auf meines freue ich mich heute schon!
Da gibt es keine Trauerprozession.

Kein Lorbeerkranz vom Bund der Belletristen.
Kein Kunstvaein hat mich in seinen Listen,
Kein Dichtazirkel … Sagen wir es schlicht:
Gesellig war die sanft Entschlafne nicht.

Der Redakteur, den sie einst tödlich kränkte,
Als er sein Mäntlein nach dem Winde hängte,
Hat ihren Nachruf lange schon gesetzt.
Der schließt: »M. K. war reichlich überschätzt.«

Diverse Damen, deren Herren Gatten
Zuzeiten eine Schwäche für mich hatten,
Die werden selbst im Regen Schlange stehen,
Um mich auch wirklich mausetot zu sehen.

Die strengen Richter meiner wilden Jugend
Entdecken der Verstorbnen edle Tugend ...
Und eingedenk der menschlichen Misere
Vergießt so mancher eine Anstandszähre.

Den wahren Freunden, ach, sie sind zu zählen!
Werd ich vielleicht zuweilen etwas fehlen.
Moral: Was euch im Leben zu mir zog,
Hebt es nicht auf für meinen Nekrolog!

Epitaph auf die Verfasserin

Hier liegt M. K., umrauscht von einer Linde.
Ihr »letzter Wunsch«: Daß jeglicher was finde.
– Der Wandrer: Schatten, und der Erdwurm: Futter.
Ihr Lebenslauf: Kind, Weib, Geliebte, Mutter.
Poet dazu. In Mußestunden: Denker.
An Leib gesund. An Seele sichtlich kränker.
Als sie verschied, verhältnismäßig jung,
Glaubte sie fest an Seelenwanderung.
– Das erste Dasein ist die Skizze nur.
Nun kommt die Reinschrift und die Korrektur. –
Sie hatte wenig, aber treue Feinde.
Das gleiche, wörtlich, gilt für ihre Freunde.
– Das letzte Wort behaltend, bis ans Ende,
Schrieb sie die Grabschrift selber. Das spricht Bände.

Kurzes Gebet

Herr, laß mich werden, der ich bin
In jedem Augenblick.
Und gib, daß ich von Anbeginn
Mich schick in mein Geschick.

Ich spür, daß eine Hand mich hält
Und führt, – bin ich auch nur
Auf schwarzem oder weißem Feld
Die stumme Schachfigur.

Mein schönstes Gedicht

Mein schönstes Gedicht?
Ich schrieb es nicht.
Aus tiefsten Tiefen stieg es.
Ich schwieg es.

»Zur Heimat erkor ich mir die Liebe«

Chanson am Montag, Mannequins, Krankgeschrieben, Heimwärts nach Ladenschluß – nach Themen brauchte die junge Mascha Kaléko nicht lange zu suchen. Alltagsbewältigung zur eigenen Lebensbewältigung – das war der Sinn ihres Schreibens. Mit dieser »Gebrauchslyrik« – im besten Sinne – wurde sie in den dreißiger Jahren in Berlin berühmt und hat sich bis heute, hundert Jahre nach ihrer Geburt, einen großen Leserkreis geschaffen.

Unsere erste Begegnung fand im Mai 1968 statt. Wir tafelten als Gäste des Auswärtigen Amtes in einem der Zürcher Zunfthäuser an der Limmat. Zugegeben: Ich hatte bis dahin weder ihren Namen gehört noch ein Gedicht von Mascha Kaléko gelesen. Am Ende des Abends machte der Gastgeber allen Anwesenden ein Geschenk: es war ihr gerade erschienener Band ›Verse in Dur und Moll‹. Als ich zu Hause darin blätterte, ließen mich ihre Verse nicht mehr los – ebenso wie eine Geschichte, die mir bei dem Diner zu Ohren gekommen war: Walter Mehring, expressionistischer Dichter der zwanziger Jahre, hatte sie erzählt, bevor er sein Glas auf Mascha erhob und sich bei ihr für nichts Geringeres bedankte als für sein Leben. Mascha hatte sich Anfang der Dreißiger den Häschern der Nationalsozialisten kühn in den Weg gestellt – sie als Jüdin riskierte ihr Leben – und dem Freund die Flucht ermöglicht.

Wenige Monate später kam es zu einer zweiten Begegnung zwischen Mascha und mir in einer Zürcher Buchhandlung. Eng gedrängt und dicht bis ans Podium saßen die Leute, um Maschas Gedichte zu hören. Doch die Dichterin sah sich seelisch und körperlich außerstande, die Lesung zu bewältigen. Ein großer Schmerz hatte sie gebrochen: Ihr 31jähriger Sohn, ihr einziges Kind, war nach kurzer, schwerer Krankheit gestorben. Man hatte mich gebeten, an ihrer Stelle zu lesen; sie saß zart und zerbrechlich neben mir – wie ein Schatten.

Dieser Abend war der Beginn unserer Freundschaft. Wir sahen uns alljährlich, wenn sie, um der heißen Jahreszeit in Israel zu entgehen, nach Europa kam und stets einige Wochen mit ihrem Mann in einem Zürcher Hotel lebte. Auch die letzten Monate vor ihrem Tod verbrachte sie in Zürich. Sie war zu krank, um nach Israel zurückzukehren. In dieser Zeit wurde ich ihre Vertraute, die täglichen Begegnungen verbanden mich tief mit der Dichterin und ihrem Werk. Bevor sie starb, bat sie mich, nach Jerusalem zu fahren, um ihren Nachlaß zu holen und künftig zu verwalten. Dieses Œuvre Lesern und Hörern nahezubringen, habe ich mir seitdem zur Aufgabe gemacht. Das möchte auch dieser Band mit hundert ausgewählten Gedichten, der in sieben Kapiteln die wichtigen Etappen und Themen in Maschas Leben spiegelt.

»An stillen Regentagen aber warte/Ich manchmal auf

das sogenannte Glück.« Diese Zeilen aus dem Gedicht *Interview mit mir selbst* sind programmatisch für Maschas Leben, denn das geizte mit Glück: Flucht aus der Heimat – Berufsverbot – Emigration – Tod des Sohnes – Verlust des Ehemannes – die tödliche Krankheit.

Mascha Kaléko kam am 7. Juni 1907 in Schidlow – am Rande der damaligen Donaumonarchie – als Tochter eines russischen Vaters und einer österreichischen Mutter zur Welt. Heute heißt der Ort Chrzanow und liegt in Polen. Die galizische Herkunft hat die Dichterin in der eigenen Lebensdarstellung stark retuschiert. Aus Galizien stammte man nicht, ohne verachtet zu werden. Um den Pogromen zu entkommen, flohen die Eltern 1914 mit Mascha und ihrer jüngeren Schwester nach Westen. Der Vater wurde als Russe interniert. Als er 1918 nach Ende des Ersten Weltkriegs freikam, zog die Familie nach Berlin. Erst dort fühlte sich Mascha für kurze Zeit heimisch. Im Alter von 25 Jahren veröffentlichte sie im Rowohlt Verlag 1933 ihr erstes Buch: ›Das lyrische Stenogrammheft‹. Ungünstiger hätte der Zeitpunkt nicht sein können. Die Nationalsozialisten waren gerade an die Macht gekommen. Zwei Jahre später wurde ihr zweites Buch, ›Kleines Lesebuch für Große‹, noch in der Druckerei beschlagnahmt.

Es folgte das Exil in Amerika. New York bot die Möglichkeit zu überleben – mehr nicht. Das Ringen um die bloße Existenz in Amerika war hart. Maschas zweiter Ehemann Chemjo Vinaver, der sich sein Leben lang

mit chassidischer Synagogalmusik beschäftigte, gründe-
te einen Chor und gab Konzerte. Da er kaum ein Wort
Englisch sprach, war ihm seine Frau als Übersetzerin
unentbehrlich. Und was sie dichtete in den Emigrations-
jahren, war die Bewältigung des »Heimweh nach den
temps perdus«. 1945 erschienen ihre Exilgedichte im
Band ›Verse für Zeitgenossen‹ in Cambridge, USA. Es
war einer der wenigen Lyrikbände, die damals in den
USA in deutscher Sprache veröffentlicht wurden. Damit
konnte man zufrieden sein, Geld allerdings brachte es
kaum, und das wäre bitter nötig gewesen.

Im Januar 1956 besuchte sie zum ersten Mal wieder
Deutschland. Alfred Polgar hatte die Verbindung zwi-
schen Ernst Rowohlt und Mascha Kaléko wieder her-
gestellt. Im Februar wurde ›Das lyrische Stenogramm-
heft‹ wieder aufgelegt und der Verlag arrangierte eine
Vortragsreise durch Deutschland. Die ausverkauften
Veranstaltungen waren der Beweis, daß sie in der alten
Heimat nicht vergessen worden war.

Das gelungene Comeback nahm 1960 ein jähes Ende,
als die Dichterin den Fontane-Preis der Akademie der
Künste in Berlin zurückwies, da eines der Jury-Mitglie-
der in der SS gewesen war.

Ihrem Mann zuliebe ging sie nach Israel und lebte
mit ihm in Jerusalem. Doch die »Heimkehr ins Land der
Väter« setzte sie einer gnadenlosen Isolation aus.

Nach dem Tod des Sohnes im Jahre 1968 war Mascha
eine gebrochene Frau. Rückblickend wird deutlich, daß

der Beginn ihrer eigenen Todeskrankheit mit diesem Schicksalsschlag zusammenfiel.

Nachdem ihr Mann 1973 nach einem langen Leiden verstarb, verließ sie kaum mehr die Wohnung. Noch einmal kam Lebenshoffnung auf, als sie im Herbst 1974 Berlin besuchte und ihren letzten Vortragsabend gab. Sie spielte mit dem Gedanken, eine zweite Wohnung in Berlin zu beziehen, in der Stadt, in der sie als junge Frau glücklich gewesen war. Doch der Tod hat ihr alle Entscheidungen abgenommen: Am 21. Januar 1975 verstarb sie nach einem langen Krankenhausaufenthalt in Zürich.

Von Kindheit an, als sie mit der Familie aus Galizien geflohen war, bis hin zu ihren letzten Jahren in Jerusalem, wo sie zurückgezogen lebte, war ihr Dasein von Heimatlosigkeit geprägt – abgesehen von den »paar leuchtenden Jahren« in Berlin. Da sie die Sehnsucht nach Zugehörigkeit ihr ganzes Leben lang nicht stillen konnte, entschied sie sich für etwas Unzerstörbares: »Zur Heimat erkor ich mir die Liebe«, meine Lieblingszeile in Maschas Werk. Diese Liebe zieht sich – denn ihre Gedichte sind unlösbar mit ihrem Schicksal verbunden – durch alle ihre Texte.

Gisela Zoch-Westphal

Alphabetisches Verzeichnis
der Gedichtüberschriften und -anfänge

Alle Gedichte sind den im Deutschen Taschenbuch Verlag erschienenen Bänden ›In meinen Träumen läutet es Sturm‹ (<u>dtv</u> 1294) und ›Die paar leuchtenden Jahre‹ (<u>dtv</u> 13149) entnommen. Der Abdruck der beiden Texte »Das Ende vom Lied« und »Einmal sollte man« erfolgt mit freundlicher Genehmigung des Rowohlt Verlages © 1956 by Rowohlt Verlag GmbH, Hamburg.

LITERATUR

Mascha Kaléko spricht Mascha Kaléko
»Interview mit mir selbst«

Durch Leben und Werk führen
Gisela Zoch-Westphal & Gerd Wameling

2 CD 171 4732   ISBN 978-3-8291-1877-4

*Gisela-Zoch-Westphal und Gerd Wameling
führen durch Leben und Werk
Originalaufnahmen mit Mascha Kaléko
Hanne Wieder singt vier Chansons auf Texte
von Mascha Kaléko*

UNIVERSAL MUSIC GROUP

www.dg-literatur.de